$14.95

Les beaux jours de Noël

JAN BRETT

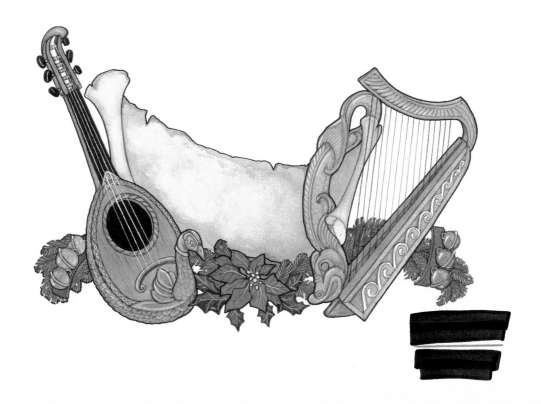

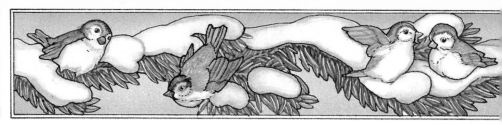

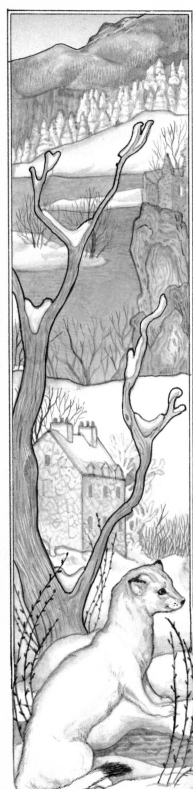

Pour Lia

Adaptation de Marie-Elisabeth

Illustrations © 1986 by Jan Brett
© 1987 by Editions des Deux Coqs d'Or, Paris, pour l'édition en langue française

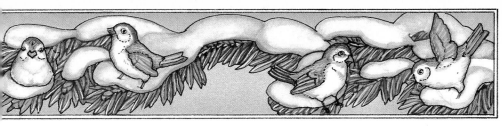

Les beaux jours de Noël

Illustré par JAN BRETT

DEUX COQS D'OR

JOYEUX

"Que donnerai-je à ma mie?" se demande un jeune homme à l'approche de Noël.

Il imagine douze cadeaux plus surprenants et plus extravagants les uns que les autres, un pour chacun des jours qui allaient de Noël à l'Epiphanie quand cette fête était célébrée à date fixe, le 6 janvier *.

Comme une comptine, cette chanson fait défiler les douze cadeaux des douze jours de Noël. Elle se situe à l'époque lointaine où ces douze jours étaient obligatoirement fériés, par décision du concile de Tours en 567. Dans les campagnes, les travaux des champs étaient suspendus jusqu'au début des labours de printemps. Seigneurs et paysans se réunissaient pour festoyer et se divertir. On apportait des cadeaux à ces joyeuses assemblées, et franchir une porte les mains vides aurait été un présage de malheur.

* *L'Epiphanie, qui célèbre l'arrivée des rois Mages à la crèche avec leurs offrandes : l'or, l'encens et la myrrhe, est désormais fêtée le premier dimanche après Noël.*

NOËLS !

"Que donnerai-je à ma mie ?"
chant de Noël exceptionnel par
son sujet et ses paroles, qui
n'ont rien de religieux, est
d'origine très ancienne. C'est
dans un manuscrit du XIIIe
siècle, conservé à Cambridge,
qu'on en trouverait trace pour
la première fois. Vers 1780,
il est publié à Londres dans un
livre pour enfants.

Devenu très populaire, ce noël s'accompagna, par
la suite, d'un jeu. Adultes et enfants rassemblés
traditionnellement le soir du douzième jour, c'est-à-dire la
veille de l'Epiphanie, s'asseyaient en cercle. Le meneur de
jeu chantait la première partie de la chanson qui était
reprise par chacun des participants. La seconde partie était
ensuite ajoutée à la première par le meneur, et l'ensemble
était répété de la même façon. On continuait ainsi jusqu'au
cadeau du douzième jour, et celui qui se trompait avait un gage.

Le premier jour de Noël
Que donnerai-je à ma mie ?

Une perdriole
Qui va, qui vient, qui vole,
Une perdriole,
Qui vole dans les bois.

Le deuxième jour de Noël
Que donnerai-je à ma mie ?

Deux tourterelles,
Une perdriole
Qui va, qui vient, qui vole,
Une perdriole,
Qui vole dans les bois.

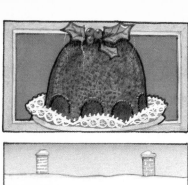

JOYEUX

Le troisième jour de Noël
Que donnerai-je à ma mie ?
Trois poules coquettes,
Deux tourterelles,

Une perdriole
Qui va, qui vient, qui vole,
Une perdriole
Qui vole dans les bois.

Le quatrième jour de Noël
Que donnerai-je à ma mie ?
Quatre merles à collier,
Trois poules coquettes,

Deux tourterelles,
Une perdriole
Qui va, qui vient, qui vole,
Une perdriole qui vole dans les bois.

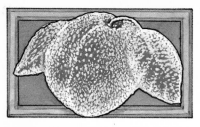

Le cinquième jour de Noël
Que donnerai-je à ma mie ?
Cinq anneaux d'or,
Quatre merles à collier,
Trois poules coquettes,

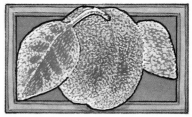

Deux tourterelles,
Une perdriole,
Qui va, qui vient, qui vole,
Une perdriole qui vole dans les bois.

Le sixième jour de Noël
Que donnerai-je à ma mie ?
Six oies couvant,
Cinq anneaux d'or,
Quatre merles à collier,

Trois poules coquettes,
Deux tourterelles,
Une perdriole
Qui va, qui vient, qui vole,
Une perdriole qui vole dans les bois.

СЧАСТЛИВОГО

Le septième jour de Noël
Que donnerai-je à ma mie ?
Sept cygnes nageant,
Six oies couvant,
Cinq anneaux d'or,

Quatre merles à collier,
Trois poules coquettes,
Deux tourterelles,
Une perdriole
Qui va, qui vient, qui vole,
Une perdriole qui vole dans les bois.

POXДЕСТВА!

Le huitième jour de Noël
Que donnerai-je à ma mie ?
Huit vaches à lait,
Sept cygnes nageant,
Six oies couvant,
Cinq anneaux d'or,

Quatre merles à collier,
Trois poules coquettes,
Deux tourterelles,
Une perdriole
Qui va, qui vient, qui vole,
Une perdriole qui vole dans les bois.

Le neuvième jour de Noël
Que donnerai-je à ma mie ?
Neuf tambours tambourinant,
Huit vaches à lait,
Sept cygnes nageant,
Six oies couvant,
Cinq anneaux d'or,

Quatre merles à collier,
Trois poules coquettes,
Deux tourterelles,
Une perdriole
Qui va, qui vient, qui vole,
Une perdriole qui vole dans les bois.

Le dixième jour de Noël
Que donnerai-je à ma mie ?
Dix joueurs de cornemuse,
Neuf tambours tambourinant,
Huit vaches à lait,
Sept cygnes nageant,
Six oies couvant,

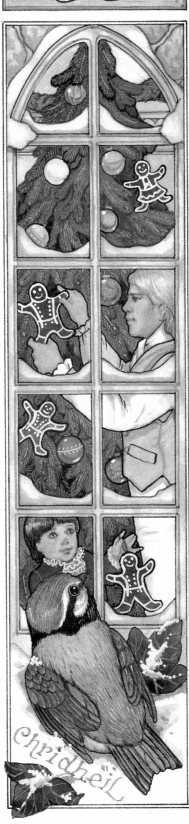

Cinq anneaux d'or,
Quatre merles à collier,
Trois poules coquettes,
Deux tourterelles,
Une perdriole
Qui va, qui vient, qui vole,
Une perdriole qui vole dans les bois.

Le onzième jour de Noël
Que donnerai-je à ma mie ?
Onze dames dansant,
Dix joueurs de cornemuse,
Neuf tambours tambourinant,
Huit vaches à lait,
Sept cygnes nageant,

Six oies couvant,
Cinq anneaux d'or,
Quatre merles siffleurs,
Trois poules coquettes,
Deux tourterelles,
Une perdriole qui va, qui vient, qui vole,
Une perdriole qui vole dans les bois.

Le douzième jour de Noël
Que donnerai-je à ma mie ?
Douze beaux garçons,
Onze dames dansant,
Dix joueurs de cornemuse,
Neuf tambours tambourinant,
Huit vaches à lait,
Sept cygnes nageant,

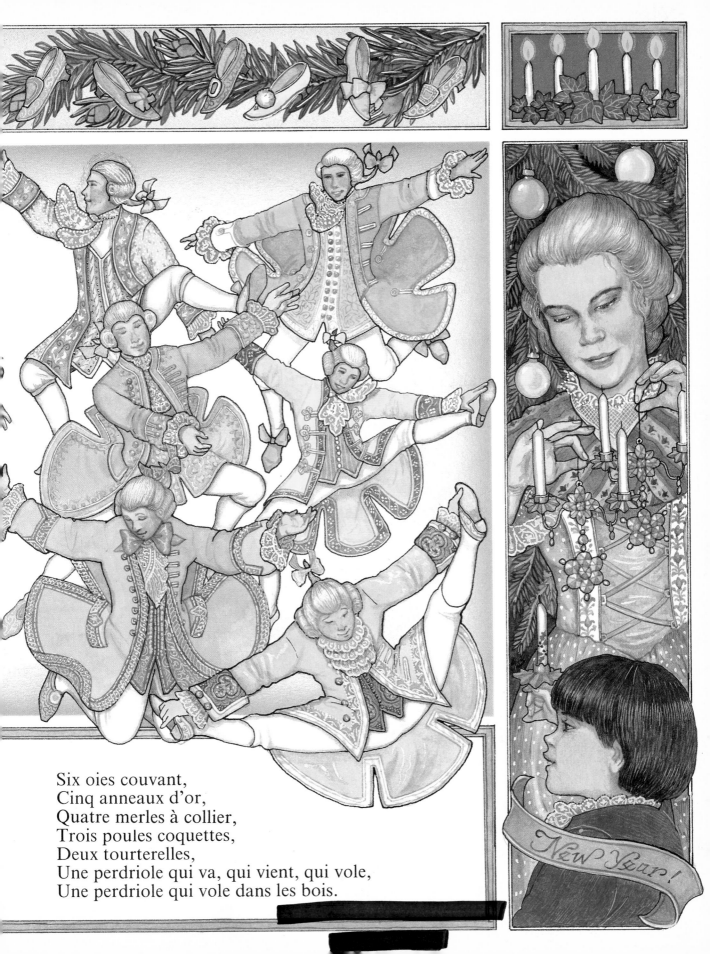

Six oies couvant,
Cinq anneaux d'or,
Quatre merles à collier,
Trois poules coquettes,
Deux tourterelles,
Une perdriole qui va, qui vient, qui vole,
Une perdriole qui vole dans les bois.

Illustré par JAN BRETT
aux Editions des Deux Coqs d'Or :

ANNIE

et les animaux de la forêt

ISBN 2-7192-1320-9
Edition originale publiée sous le titre *The Twelve Days of Christmas*
par Dodd, Mead & Co, New York, U.S.A., ISBN 0-396-08821-X

Loi n° 49-956 du 16 juillet 1949 sur les publications destinées à la Jeunesse
Dépôt légal : novembre 1987 - Deux Coqs d'Or éditeur -N° 1 9061-4-87 - Imprimé en Italie (26)

E
784
BEA

10679

Les Beaux jours de Noël.